Mademoiselle NANCY

Un Noël mirobolant

Que Noël vous enchante!
(C'est une façon chic de dire Joyeux Noël!)

Texte de
Jane O'Connor

Illustrations de
Robin Preiss Glasser

Texte français d'Hélène Pilotto

Éditions
■ SCHOLASTIC

À Jill, ma sœur mirobolante, en souvenir de tous
les merveilleux Noëls de notre jeunesse — J.O'C.

À ma sœur Erica, ma confidente et ma référence — R.P.G.

Édition publiée par les Éditions Scholastic, 604, rue King Ouest, Toronto (Ontario) M5V 1E1,
avec la permission de HarperCollins.

5 4 3 2 1   Imprimé à Singapour 46   10 11 12 13 14

Typographie de Jeanne L. Hogle

Catalogage avant publication de Bibliothèque et Archives Canada
O'Connor, Jane
Mademoiselle Nancy : un Noël mirobolant / Jane O'Connor ;
illustrations de Robin Preiss Glasser ;
texte français d'Hélène Pilotto.

Traduction de: Fancy Nancy: splendiferous Christmas.
Pour les 3-8 ans.

ISBN 978-0-545-98287-0

I. Preiss-Glasser, Robin II. Pilotto, Hélène
III. Titre. IV. Titre: Noël mirobolant.

PZ23.O26Mac 2010   j813'.54   C2010-902806-6

Notre maison n'est jamais très chic, sauf...

...à Noël.

Et voilà!

J'adore Noël! C'est très important de trouver
un sapin qui dégage un arôme sublime.
(C'est une façon chic de dire « qui sent bon ».)

À mon avis,
plus c'est gros,
plus c'est beau.

Papa dit qu'on doit se mettre d'accord.

Ce qui signifie que c'est ma mère qui choisit.

La veille de Noël, on sort les décorations pour le sapin. Certaines appartenaient à grand-papa lorsqu'il était petit.

— Ce sont des antiquités, dit maman.
(C'est une façon chic de dire « de vieux objets de valeur ».)

Voici ce qui ornera la cime de notre sapin. Magnifique, n'est-ce pas? Je l'ai acheté l'été dernier avec tout l'argent que j'ai eu pour mon anniversaire. (Il n'est jamais trop tôt pour préparer Noël.)

On décore toujours le sapin avec grand-papa.
Il sera là très bientôt.

En attendant, on prépare des biscuits de Noël.

Ma sœur nous aide à les saupoudrer de cristaux de sucre.

Miam! c'est délectable!
(C'est une façon chic de dire
« délicieux ».)

Devine lequel j'ai décoré...

Je finis d'emballer les cadeaux.

Ce couvre-lit est pour Marabelle. Il suffit d'ajouter de la dentelle pour donner un petit air chic à n'importe quoi. Et voilà!

Je lui ai aussi fabriqué une minicarte.

Ensuite, on fait des sérénades.
(C'est une façon chic pour dire qu'on
« chante des chants de Noël ».)

Quand on rentre, toujours pas de grand-papa.

Alors on supplie nos parents. (C'est une façon chic de dire « demander ».)

— S'il vous plaît, s'il vous plaît, est-ce qu'on peut au moins placer l'ange en haut du sapin?

Mon père nous annonce que grand-papa vient d'appeler. Il sera là dans une minute.

Alors on attend,
on attend...

... et on attend encore. C'est fou comme c'est long une minute, parfois!

Coquette n'est pas aussi patiente que moi.

Je décide donc de déballer un de ses cadeaux... un jouet pour tirer.

Coquette est forte.

Mais moi aussi.

Encore plus qu'elle.

Oups!
Le sapin bascule.

Oh non! Oh non!
Attention!

L'ange éclate en mille morceaux.
Je suis dans tous mes états, ce qui signifie
« bouleversée », mais dix
mille fois plus fort.

Grand-papa arrive
à ce moment-là. Je
lui raconte ce qui
s'est passé.

— Dans la vie, on peut toujours
se débrouiller avec les moyens
du bord, déclare-t-il.
— Qu'est-ce que ça veut dire?

— Ça veut dire : Improvise! C'est un mot chic pour dire
« crée quelque chose avec ce que tu as sous la main ».

On fabrique une étoile pour la cime du sapin
à l'aide de brillants, de pompons et de rubans.

— Un jour, tu raconteras à tes enfants comment on a fabriqué
cette étoile ensemble, dit grand-papa.

J'explique à ma sœur :
— **Tu vois?** Cette décoration
va devenir une antiquité!

C'est si amusant de décorer le sapin! Comme je le dis toujours : « Il n'y a jamais trop de guirlandes! »

Selon moi, il n'existe qu'un seul mot
pour décrire la magnificence, la joie et
la splendeur d'un matin de Noël, et c'est...

mirobolant!